Moe Price   Atsuko Morozumi

Le premier grand voyage du
PÈRE NOËL

MILAN

Non, ce matin-là n'avait rien d'un matin ordinaire. C'était Noël,
et le soleil pointait déjà son nez au-dessus des montagnes. Deux ombres
galopaient dans la forêt enneigée.

« Plus vite, Elwin ! tonnait le Père Noël. Ce sacré jour se lève !
Si quelqu'un nous voyait, ce serait terrible, tu sais. Terrible ! »

Par bonheur, personne ne les aperçut. Alors, encore tout essoufflés, ils se firent un bon chocolat et s'installèrent devant la cheminée, histoire de réchauffer leurs orteils glacés.

– J'ai bien envie de prendre ma retraite, soupira le Père Noël. Chaque année, il y a de plus en plus de cadeaux à distribuer et la nuit n'est pas assez longue. Un jour, quelqu'un nous verra et, pfouiit ! l'enchantement sera rompu !

Elwin, le chef des lutins, secoua furieusement la tête.

– Pas question d'abandonner, Père Noël ! On va trouver une solution.

Et ils se mirent à réfléchir, les yeux fixés sur les flammes qui dansaient.

L'hiver s'achevait. Et c'est alors qu'Elwin eut sa grande,
sa merveilleuse idée. « J'ai trouvé, saperlipopette ! Je l'ai, la solution ! »

Les lutins s'agitèrent comme des feux follets,
et dessinèrent les plans les plus ingénieux qui soient.

Mais le lendemain, patati, patata, tout le monde se chamaillait.
Et le pauvre Elwin s'arrachait les cheveux !

Enfin, au bout de trois jours, Elwin réussit
à mettre les lutins d'accord. L'atelier ressembla
bientôt à une ruche bourdonnante et bruissante.
Et quand le Père Noël, intrigué par ce remue-
ménage, essaya d'entrer, on lui ferma tout
simplement la porte au nez. Pas question
de le mettre dans la confidence.

Ce n'est qu'au début du printemps qu'on dévoila enfin le grand secret. Le Père Noël fut drôlement impressionné.

« Bravo, Elwin. Ce traîneau est magnifique. Mais... – il se tripotait la barbe d'un air embêté – ... mais je ne pourrai jamais tirer ça tout seul, même si vous m'aidez tous ! » acheva-t-il. Elwin leva la main en souriant.

« Depuis les temps les plus anciens,
Nous sommes un peu des magiciens.
Faut-il des ailes au Père Noël ?
C'est enfantin, pour un lutin !
Qui tirera ce beau traîneau,
Volera donc comme un moineau ! »

– Volera, volera... c'est bien beau, mon cher Elwin, ronchonna le Père Noël, mais ça ne me dit pas qui le tirera.
– C'est simple ! répondit le lutin. Il n'y a qu'à mettre une affiche dans la forêt, voilà tout !

Ce qui fut fait en un clin d'œil.

Le premier candidat fut un éléphant nommé Théophile.

Rien à dire sur le décollage.

Ni sur l'atterrissage. C'était ab-so-lu-ment par-fait.

Cependant Théophile ne fit pas l'affaire.

Puis ce fut le tour d'Arthur, un crocodile bien sympathique,
qui arriva avec toute sa bande.

Mais les claquements de leurs énormes mâchoires mettaient
le Père Noël très mal à l'aise.

Il déclina leur offre avec beaucoup de politesse.

Arriva ensuite une troupe de chiens de traîneau.
« Rien ne vaut de vrais professionnels » affirma Rex,
le chef du groupe.

L'attelage fila à toute allure et le vol fut des plus agréables.
Des spécialistes, voilà ce qu'il fallait.

Mais Rex fit une grossière erreur : il regarda en bas.
Un professionnel peut avoir le vertige ! Ce fut une panique générale.

Le vol s'arrêta là. Le traîneau exécuta quelques magnifiques
loopings, et dégringola au beau milieu d'une mare.

Durant l'été, les candidatures furent nombreuses.

Mais aucune ne donna vraiment satisfaction.

La veille de Noël, il n'y avait toujours personne pour tirer le traîneau.
Le vieux bonhomme était très, très contrarié.

Et puis, le soir même, on frappa à la porte. C'était Tom, le renne.
Il roulait des yeux affolés.

– L'un des miens est tombé au fond du ravin.

– On va le tirer de là, mon garçon ! dit le Père Noël.

Elwin montra le traîneau. Il soupira :

– Si seulement on pouvait le tirer, ça ferait une bien belle ambulance !

Les rennes s'approchèrent.

– Laisse-nous faire, dit Tom. On s'en charge.

Le ravin était profond, encaissé entre deux parois vertigineuses. Mais les rennes étaient si habiles que le Père Noël réussit sans peine à atteindre le blessé. Avec les lutins, il installa la pauvre bête sur les coussins du traîneau. La partie était gagnée.

On soigna la patte cassée. Tout rentrait dans l'ordre. Tom était radieux.

– Comment vous remercier, mes amis ?

– Bah ! grogna le Père Noël. N'en parlons plus. Mais Elwin leva le doigt, malicieux. Ses yeux brillaient.

– Parlons-en, au contraire. C'est qu'il nous faut quelqu'un pour tirer le traîneau, cette nuit. Peut-être que toi et tes amis...

– Cette nuit et toutes les nuits que vous voudrez ! dit le renne en riant.

Les lutins applaudirent à tout rompre.

Alors le Père Noël sut qu'il allait pouvoir distribuer cette nuit-là autant de cadeaux qu'il voudrait, et qu'il serait de retour chez lui bien avant le lever du soleil.

Ainsi, pour la première fois, l'attelage légendaire s'envola au-dessus des maisons endormies. Et chaque année désormais, l'enchantement recommencera. Parole de renne !

À Richard et Vincent. AM

Pour Eleanor Doris, avec tout mon amour. MP

Titre original : The Reindeer Christmas.
Adapté de l'anglais par Isabelle de Cours et Gérard Moncomble.
Text copyright © Moe Price 1993
Illustrations copyright © Atsuko Morozumi 1993
Designed by Herman Lelie
Produced by Mathew Price Ltd
Old Rectory House, Marston Magna,
Yeovil, Somerset BA22 8DT, England
Édition française :
© 1993 Éditions MILAN
300, rue Léon-Joulin 31101 Toulouse Cedex 100 - France
Droits de traduction et de reproduction réservés pour tous pays.
Toute reproduction, même partielle, de cet ouvrage est interdite.
Une copie ou reproduction par quelque procédé que ce soit, photographie, microfilm,
bande magnétique, disque ou autre, constitue une contrefaçon passible des peines
prévues par la loi du 11 mars 1957 sur la protection des droits d'auteur.
Loi 49.956 du 16.07.1949
Dépôt légal : 4ᵉ trimestre 1993
ISBN : 2.86726.891.5
Imprimé à Singapour